# VOYAGE EN PAYS HANTÉ

Pour Sonia.
A. C.

**NOUS SOMMES TOUS DIFFÉRENTS, DONC TOUS EXCEPTIONNELS.**

**PROVERBE ARAMÉEN**

Qu'as-tu pensé de cette aventure des Kinra Girls ?
**Donne ton avis** sur http://enquetes.playbac.fr en entrant le code 650976. Inscris-toi sur la plateforme Play Bac **et gagne de nombreux livres et jeux** de notre catalogue en cumulant des points.



Éditions Play Bac, 33, rue du Petit-Musc, 75004 Paris ; www.playbac.fr

# VOYAGE EN PAYS HANTÉ

MOKA

ILLUSTRATIONS
ANNE CRESCI

playBac

IDALINA

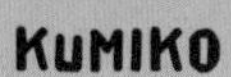

**Kumiko** est japonaise. C'est une peintre talentueuse, qui aime aussi la photo et la mode.

**Idalina** est espagnole. Elle joue de la guitare et c'est une superbe chanteuse de flamenco.

**Naïma** est afro-américaine. Son père est américain et sa mère vient d'Afrique. Le cirque est sa passion.

**Rajani** est indienne. Elle adore danser, surtout les danses traditionnelles de son pays.

**Alexa** est australienne. Elle monte à cheval et souhaite devenir championne d'équitation.

JOHN
MICKAEL
JOHANNIS
Amis
des Kinra Girls
NASSIR
LOUISE
SINGRID

TONINO
ex-amoureux d'Idalina
RUBY
MICHELLE
Ennemies
des Kinra Girls
JENNIFER

**M. MEYER**
le directeur

**MISS DAISY**
l'assistante du directeur

**MME BECKETT**
le professeur d'anglais

**MAÎTRE WANG**
le professeur de dessin

**SIGNORA DELLA TORRE**
le professeur de chant

**MME JENSEN**
le professeur de danse

**M. RAMOS**
le professeur de guitare

**LUIGI**
le chef cuisinier

**M. MARINO**
le professeur de tennis

**RAINER**
le professeur d'équitation

**M. BROWN**
le professeur de mathématiques

## Les Écossais rencontrés à Édimbourg

**WILLIAM**
le propriétaire du restaurant

la femme de William

le joueur de cornemuse

le guide touristique

*Chapitre 1*

# De l'amour, toujours !

Idalina ajouta quelques petits cœurs sur les bords de sa feuille. Elle soupira en la pliant pour la glisser dans l'enveloppe. Depuis son retour de ses vacances à Berlin, elle écrivait à Pablo, son amoureux[1]. Elle s'était promis de lui écrire tous les jours. Elle avait tenu un samedi et un dimanche. Le lundi, vraiment, elle avait trop de devoirs. Le mardi, elle avait un début de rhume. Le mercredi, il fallait qu'elle travaille son nouveau morceau de guitare. Le jeudi...

1. *Voir le tome 10 des Kinra Girls,* Cartes postales du monde.

Idalina s'aperçut qu'elle se cherchait de bonnes raisons pour ne pas écrire. Elle s'en trouva très contrariée. Puis Rajani lui avait dit qu'il valait mieux n'envoyer qu'une lettre par semaine si elle ne voulait pas se lasser. Idalina comprit la sagesse de ce conseil.
La jeune Espagnole sortit de sa chambre pour aller déposer sa lettre dans la boîte à côté du bureau de Miss Daisy. À l'Académie Bergström, le courrier était ramassé régulièrement et partait directement à la poste. On n'avait même pas besoin de coller un timbre.
La porte du bureau était ouverte et on entendait des rires. Par curiosité, Idalina jeta un rapide coup d'œil. L'assistante du directeur parlait avec Rainer, le professeur d'équitation. Miss Daisy, les joues roses, tripotait le sifflet qu'elle gardait toujours autour du cou. Rainer lui racontait avec

humour les dernières facéties de la jument Polka dont l'entêtement était célèbre. Soudain, Miss Daisy regarda vers le couloir et remarqua la petite Espagnole. Elle parut gênée et ses joues rosirent davantage.

– Oui, Idalina, tu veux quelque chose ? demanda-t-elle.

– Heu... non... je... C'est bien demain que le courrier est porté à la poste ?

Miss Daisy confirma. Rainer se racla la gorge avant de déclarer :

– Bon, je dois y aller. À plus tard.

– À plus tard, répondit Miss Daisy, les yeux dans le vague.

Idalina bredouilla quelques remerciements et s'empressa de regagner sa chambre. Entre-temps, Alexa était arrivée et révisait avec Naïma leur leçon de géographie.

– Miss Daisy est amoureuse ! dit Idalina, dès son entrée.

– Amoureuse ? répéta Naïma. De qui ?

– De Rainer ! Il était dans son bureau et il n'y vient presque jamais, alors je suis sûre que Miss Daisy lui a demandé de passer sous un faux prétexte et...

– Comment tu peux affirmer ça ? l'interrompit Alexa.

– Leur conversation n'avait aucun intérêt, c'est la preuve !

– Écoutez-la, celle-là ! se moqua Alexa. À peine 11 ans et elle sait déjà tout de l'amour !

– Bah, ça va ! protesta Idalina, vexée. Ce n'est pas parce que je suis jeune que je ne suis pas capable de reconnaître les signes ! Quand une fille rougit dès qu'un garçon lui adresse la parole, qu'elle joue avec un objet, qu'elle rit bêtement et qu'elle a l'air rêveuse... Il n'y a pas de doute !

– Et Rainer ? fit Naïma. Tu crois qu'il l'aime, lui aussi ?

– Ben, c'est évident, répondit Idalina. Mais il l'ignore encore. C'est un garçon, et les garçons sont idiots. Sauf Pablo...

– Rainer n'est pas idiot ! rétorqua Alexa.

– Miss Daisy et Rainer... dit pensivement Naïma. Ils iraient bien ensemble.

– Oh oui ! approuva Idalina. Vous imaginez

Miss Daisy en robe de mariée ? Elle serait tellement jolie ! Ils pourraient partir en voyage de noces dans une calèche tirée par quatre chevaux blancs et puis... peut-être que je serais demoiselle d'honneur...

– Hé ! Ho ! cria Alexa. Réveille-toi ! On n'en est pas déjà au mariage !

Idalina s'assit sur son lit et réfléchit pendant un instant.

– C'est vrai... Il faut qu'on prenne les choses en main, les filles.

– Pardon ? s'exclama Alexa.

Idalina ouvrit les bras dans un grand geste dramatique.

– Si on n'agit pas, Rainer risque de passer à côté de la plus belle chance de sa vie ! Et Miss Daisy sera horriblement malheureuse et elle va pleurer tout le temps en cachette et...

– Stop ! dit Naïma. On a compris, merci ! Mais enfin, comment veux-tu t'y prendre ? Tu te vois expliquer à Rainer qu'il est amoureux sans le savoir ?

– Sans compter que ce ne sont pas nos affaires, ajouta Alexa.

– Ben, ça serait bien la première fois que tu ne te mêlerais pas des affaires des autres, répliqua Idalina.

Alexa resta bouche bée.

– Du calme ! réclama Naïma. On doit réfléchir d'abord ! Hum... On a besoin de l'avis de Rajani.

Idalina se rembrunit. Rajani ? Elle entendait déjà son discours de grande sœur raisonnable.

– Si on écoutait Rajani, on ne ferait jamais rien d'amusant, dit-elle.

– Oui, ça, c'est vrai, acquiesça Alexa.

– Elle nous empêche aussi de faire des bêtises, remarqua Naïma. Et puis, vous êtes injustes. Grâce à la mauvaise influence de Kumiko et d'Alexa, Rajani est beaucoup plus aventureuse qu'au début de l'année !

Les trois filles se mirent à rire et décidèrent de travailler un peu en attendant l'heure de la promenade de Jazz. Les Kinra Girls avaient prévu de se retrouver toutes ensemble à ce moment-là. Exceptionnellement, il n'avait pas plu de la journée !

Idalina avait du mal à se concentrer sur la formation des montagnes qui était au programme de géographie. Au bout de dix minutes, elle s'empara de sa guitare et joua quelques accords.

– Et si j'inventais une chanson d'amour ? proposa-t-elle. Je pourrais la jouer du côté des écuries et peut-être que Rainer comprendrait le message...

– Ou tu feras peur à Nelson ! ricana Alexa.

– Hé ! Je chante bien ! Lalala... Saviez-vous que ***corazón***, « cœur » en espagnol, était le mot le plus souvent prononcé dans les chansons du flamenco ?

Dans mon pays, l'amour est un art...

Alexa admira le mouvement gracieux des doigts d'Idalina sur les cordes de son instrument. C'était comme de la danse.

– Il y a une question que je me suis toujours posée à propos de ta guitare, dit-elle. Pourquoi est-elle de cette couleur ?

– Elle est en bois de palissandre, qui est d'un pourpre très foncé, et le luthier[2] l'a recouverte d'un vernis rouge, voilà pourquoi. Il y a plein de couleurs différentes dans les bois et les vernis. On trouve des guitares presque blanches et les nuances vont jusqu'au brun

*2. Luthier : artisan qui fabrique ou répare des instruments à cordes (violons, guitares, violoncelles...).*

sombre. Ma guitare a été fabriquée
par Juan Luis Cayuela[3], qui est sévillan
comme moi. Il est très célèbre !
Les guitaristes du monde entier
lui commandent leurs guitares !
– C'est bientôt l'heure de sortir ?
demanda Naïma que la leçon de
géographie ennuyait autant qu'Idalina.
– Non, répondit Alexa. Reprenons…
« La surface de la Terre est accidentée
et présente des dépressions et des
soulèvements. Les plus hauts de ces
soulèvements sont les montagnes. »
Pfuuuitt… Non, mais franchement,
ça intéresse qui ?

Personne dans la chambre 306, de toute
évidence.

*3. Juan Luis Cayuela est l'un des derniers luthiers à fabriquer des guitares pour le flamenco. Certaines de ses guitares, de très grande qualité, valent jusqu'à 10 000 euros.*

*Chapitre 2*

# Des prières pour les dieux

Jazz manifesta sa joie d'être dehors en sautant dans toutes les flaques de boue, du château jusqu'à la forêt. Mais il se trouva bien dépité quand Alexa le rappela. Hélas, le directeur n'avait pas encore levé l'interdiction de se promener dans les bois. Les abords de la rivière resteraient dangereux tant que celle-ci serait en crue.

– Quelqu'un connaît un génie, un dieu, une fée qu'on pourrait prier pour qu'il ne pleuve pas pendant plusieurs jours ?

demanda Naïma.
Moi, je connais Oshun,
la déesse des Eaux douces...
Au Bénin, on lui offre du
ragoût de poulet avec
des crevettes séchées
pour lui faire plaisir car
elle est très gourmande !
Vous croyez que le chef Luigi accepterait
de cuisiner pour une déesse ?
– Tu peux toujours essayer ! répondit
Rajani en riant.
– Vous avez remarqué 
qu'il y a des dieux
pour faire tomber la
pluie, mais pas pour
l'arrêter ? dit Alexa.
Chez les Aborigènes
d'Australie, il y a des
Esprits faiseurs de pluie,

comme Bunbulama... C'est le nom que j'ai donné à mon chien !

– Oui, tu as raison, acquiesça Kumiko. Dans le sud du Japon, les bouddhistes dansent et frappent sur des tambours pour obtenir la pluie. Ils portent des masques qui représentent un dragon vert. Et toi, Rajani, à quel dieu t'adresserais-tu ?

– À Shiva, que l'on adore dans toute l'Inde. Dans son chignon, il garde Gangâ, le fleuve Gange, pour empêcher ses flots de dévaster le monde. Shiva est un dieu qui peut se montrer terrible et il laisse parfois Gangâ couler de sa chevelure. Alors, le fleuve détruit tout sur son passage. En même temps, Gangâ purifie et apporte l'abondance. C'est un mal pour un bien...

Alexa joignit les mains sur sa poitrine et regarda le ciel qui charriait de gros nuages.

– S'il vous plaît, terrible Shiva ! Pourriez-vous trouver une petite place dans votre chignon pour notre rivière ? Elle nous crée bien des soucis !

Rajani se tourna vers elle, un peu fâchée. On ne se moquait pas d'un dieu aussi important ! Mais elle lut sur le visage de son amie que celle-ci était sérieuse et sincère.

– Tu n'as aucune difficulté à croire à la puissance de Shiva ? s'étonna-t-elle.

– Non, dit Alexa. Du moment que ça

marche, je veux bien prier tous les dieux de la Terre entière !

Kumiko s'aperçut qu'Idalina ne participait pas à la conversation et traînait, l'air préoccupé.

– Et en Espagne ? demanda-t-elle. Il y a des rituels pour la pluie ?

Idalina mit quelques secondes à comprendre que Kumiko lui parlait.

– Heu... Aucune idée... Mais, là, tout de suite, j'implorerais l'aide de saint Jude, le patron des causes perdues. Parce que je viens de sentir une goutte de pluie sur ma joue !

Alexa poussa un cri de désespoir.

– Ça porte bonheur quand il pleut le jour où on se marie... murmura Idalina.

– Ah, ça y est, c'est reparti ! s'exclama Naïma, rieuse. Alors, les Kinra Girls, quels dieux pour aider les amoureux ?
– En Inde, on s'adresse à Shiva et à son épouse Pârvatî. Ils représentent le couple parfait, répondit Rajani. Pour trouver un bon mari, les jeunes filles font un vœu qu'on appelle le ***vrata***. Elles promettent de jeûner plusieurs lundis de suite ou de donner de la nourriture aux mendiants, par exemple.
– Au Japon, il y a des ***omiai***, des mariages arrangés, dit Kumiko. On échange des photos avant de se rencontrer. Et au premier rendez-vous, les deux familles viennent aussi ! Bonjour l'ambiance…
– C'est souvent comme ça dans mon pays, ajouta Rajani. On présente des enfants l'un à l'autre et, quand ils ont l'âge, on les marie. Ce sont les parents qui

décident. Beaucoup de gens pensent que c'est mieux et que l'amour vient après le mariage, pas avant.

– Moi, je n'accepterais pas qu'on décide à ma place ! affirma Naïma. Mais je sais bien que mes parents ne m'obligeraient pas à épouser quelqu'un que je n'aime pas.

– Qui se dévoue pour dire à Miss Daisy qu'elle ne doit plus manger le lundi et qu'il faut qu'elle invite toute sa famille au château ? plaisanta Alexa.

– Ce n'est pas drôle, rétorqua Idalina.

– Oh que si ! Jazz ! Au pied ! Oh, c'est pas vrai... Jazz ! Ici, maintenant, ou je t'offre en sacrifice au dieu Soleil pour qu'il arrête enfin de pleuvoir !

Le labrador, qui avait déjà atteint les épais fourrés de la forêt, lui jeta un regard inquiet. Au ton de la voix d'Alexa, il savait qu'elle était en colère. La queue entre les jambes, il fit demi-tour. Alexa passa la main sous son collier.

– De toute façon, tu ne les attrapes jamais, ces lapins, remarqua-t-elle.

L'averse menaçait et il était grand temps de se mettre à l'abri. D'ordinaire, Alexa était la seule à ramener Jazz à son maître. Cette fois-là, ses amies l'accompagnèrent, toutes curieuses de voir une Miss Daisy amoureuse. Elles ne furent pas déçues !

– C'est quoi, ça ? hurla Miss Daisy, le doigt pointé vers Jazz. Un cochon ?

Oups... Alexa avait complètement oublié de laver le chien avant d'entrer dans son bureau. Elle chercha rapidement une bonne excuse.

– C'est... hum... je peux descendre dans la buanderie ?

– Bien évidemment, répliqua Miss Daisy. Pourquoi cette question ?

– Parce que, quand il y avait les travaux, je ne pouvais pas.

– Il y a encore des échafaudages ? Des ouvriers ? Des pots de peinture ?

– Heu… non… balbutia Alexa.

– Eh bien alors ? cria Miss Daisy. Et vous quatre, là, qu'est-ce que vous voulez ?

Idalina rougit violemment. Naïma était clouée sur place. Kumiko se cacha derrière Rajani, et cette dernière ne trouva vraiment rien à dire. Jamais Miss Daisy ne leur avait parlé sur ce ton. Même Jazz parut inquiet et recula prudemment vers le couloir.

L'assistante du directeur soupira bruyamment et bouscula la pile de dossiers à côté de son ordinateur.

– C'est pas possible… marmonna-t-elle. Déjà que j'ai perdu le passe magnétique et qu'il a fallu en refaire un, et ce coup-ci, ce sont les billets d'avion qui ont disparu !

– On peut peut-être vous aider ? proposa timidement Naïma.

– Oui ! s'exclama Miss Daisy. Sortez-moi ce chien et fermez la porte !

Les Kinra Girls s'empressèrent d'obéir. En silence, elles se rendirent dans la buanderie. Alexa remplit la bassine de Jazz avec de l'eau tiède.

– J'avais raison ! déclara soudain Idalina. Si Miss Daisy est d'aussi mauvaise humeur, c'est qu'elle est amoureuse !

– Elle a égaré des choses, répondit Kumiko. Ça n'a aucun rapport.

– Justement ! dit Idalina, très sûre d'elle. On fait n'importe quoi quand on est amoureux, c'est bien connu !

Rajani se tourna vers l'Australienne.

– Mouais… fit-elle. Sauf que le passe, elle ne l'a pas perdu ! C'est Singrid qui l'a volé et Alexa, qui était supposée le remettre discrètement dans le bureau, ne l'a pas fait[4] ! Tu n'avais pas l'intention de le rendre, n'est-ce pas ?

Prise en faute, Alexa grimaça un sourire.

– C'est que... il ouvre toutes les portes qui ont une serrure magnétique... On pourrait en avoir besoin...

Les filles protestèrent quand Jazz sauta dans sa bassine et les éclaboussa. Alexa leur conseilla de s'écarter. Le labrador adorait s'ébrouer après son bain.

4. *Voir le tome 11 des Kinra Girls,* Le Dragon bleu.

En revenant avec Jazz propre et sec, elles croisèrent Mme Beckett dans le couloir. Le professeur d'anglais semblait très contrariée.

– Bonjour, madame ! dit Alexa. Vous n'avez pas l'air dans votre assiette !

Mme Beckett ne s'offusquait plus des manières familières de son élève. Elle savait que, de sa part, ce n'était pas de l'insolence. Et puis, les circonstances l'incitèrent à se confier car, de fait, elle était assez mécontente.

– Eh bien ! J'ignore ce qui arrive à Miss Daisy, mais je ne l'ai jamais vue dans un état pareil ! Tout ça parce que j'ai pris les billets d'avion pour vérifier que tout était en ordre ! Ce n'est pas ma faute si elle était absente quand je suis passée ce matin ! J'ai fait ça pour rendre service, moi !

– C'est quoi, cette histoire de billets d'avion ? demanda Naïma. C'est pour nous ?

Mme Beckett eut un sourire mystérieux et refusa d'en dire davantage. Alexa prit son courage à deux mains et frappa à la porte du bureau. Miss Daisy bougonnait dans son coin et ne prêta pas attention à elle. Alexa laissa Jazz dans le bureau du directeur qui était en réunion avec les professeurs d'une autre classe.

En remontant dans leurs chambres, les Kinra Girls se posaient beaucoup de questions sur la destination de leur futur voyage. Où donc allait-on les emmener ?

– En tout cas, affirma Idalina, je ne me trompais pas. Même Mme Beckett a remarqué que Miss Daisy se comportait bizarrement.

Et à ça, personne ne trouva à redire.

*Chapitre 3*

# Bonnes et mauvaises surprises

Mme Beckett commentait les réponses de la dernière interrogation écrite. Kumiko bâilla. Elle n'était pas la seule à somnoler. Tout le monde se réveilla en entendant frapper à la porte. Miss Daisy apparut, l'air ennuyé.

– Désolée de vous déranger, dit-elle. Je viens prévenir les élèves qu'ils n'auront pas cours avec M. Douglas, aujourd'hui. Il a une pneumonie.

– Mais c'est lui qui devait nous accompagner ! s'écria Mme Beckett. Hum... J'espère que ce n'est pas trop grave ?

– Une pneumonie, ce n'est pas une plaisanterie, répondit Miss Daisy. Alors, non, M. Douglas ne pourra pas venir avec nous !

Les élèves échangèrent des regards. Où leur professeur d'histoire et de géographie était-il supposé les accompagner ?

– C'était bien la peine d'apprendre la leçon sur la formation des montagnes... ronchonna Alexa.

– Bon ! fit Mme Beckett. On peut vous le dire, maintenant. Depuis le mois de novembre, votre camarade Jennifer a participé aux sélections du Tournoi juniors de tennis. Elle a été qualifiée pour la finale. Le dernier match aura lieu à Édimbourg !

Tout le monde applaudit et félicita Jennifer. Celle-ci sourit et remercia timidement.

– Et nous allons en Écosse pour l'encourager ! ajouta Mme Beckett.

– Génial ! hurla Mickael. C'est chez moi !

– Mickael, du calme ! gronda Mme Beckett. Qui va remplacer M. Douglas ?

Miss Daisy poussa un soupir de désespoir.

– J'en sais rien ! Encore un problème à résoudre !

– Et si vous demandiez à Rainer ? proposa Idalina.

– Rainer ? répéta Miss Daisy, interloquée. Ce n'est pas lui qui peut vous faire un cours sur l'histoire d'Édimbourg !

– Pendant que Jennifer sera à l'entraînement avec son professeur de tennis, nous visiterons la ville, expliqua Mme Beckett.

Alexa réfléchissait, un doigt sur les lèvres, doigt qu'elle finit par lever.

– M. Brown n'est-il pas écossais ?

– Tiens, si, c'est vrai, acquiesça Miss Daisy. Je vais lui parler sur-le-champ !

L'assistante du directeur sortit aussitôt. Idalina se tourna vers Alexa.

– Le prof de maths ? C'est tout ce que tu as trouvé ?

– Franchement, il est beaucoup plus marrant que M. Douglas, rétorqua Alexa.

– Mais t'es idiote ou quoi ? s'énerva Idalina à mi-voix. L'idée, c'est de donner l'occasion à Miss Daisy d'être avec Rainer !

– Ça n'aurait pas marché, remarqua Rajani. Tu as bien vu la réaction de Miss Daisy. Elle cherche quelqu'un qui puisse nous apprendre quelque chose sur Édimbourg.

Mme Beckett réclama le silence à ses élèves, très excités par la nouvelle de leur voyage. Et, pour le plus grand désespoir de Kumiko, elle entreprit de continuer sa lecture des corrigés.

À l'heure du déjeuner, Idalina décida qu'il était nécessaire d'élaborer un plan. Comment rapprocher Miss Daisy de Rainer ?

– Et si tu faisais semblant de te blesser en tombant de cheval ? suggéra Idalina.

– Ça ne va pas, non ? protesta Alexa. Je risque de me blesser pour de bon ! Et de toute façon, c'est l'infirmière qu'on appelle dans ces cas-là !

Idalina réduisit ses tomates farcies en bouillie avec sa fourchette. Ce qu'Alexa pouvait être agaçante par moments ! Ses amies ne semblaient pas comprendre combien il était important d'aider Miss Daisy. Elles ne savaient pas ce que c'était que d'avoir un chagrin d'amour.

– Et si Rainer aime Miss Daisy en secret et n'ose pas le lui avouer ? dit Naïma. Avant d'agir, il faudrait d'abord connaître ses sentiments.

– Ah, d'accord, grommela Alexa, c'est encore à moi de m'y coller ! Vous m'imaginez lancer à Rainer : « Hello ! Alors comme ça, vous êtes amoureux ? »

– Un peu plus de subtilité, peut-être ? plaisanta Kumiko.

Rajani n'était pas sûre qu'elles devraient se mêler des histoires des adultes. Mais elle ne voulait pas peiner Idalina et elle préféra garder ses doutes pour elle.

– La subtilité, ce n'est pas trop mon truc, conclut Alexa.

Cet après-midi-là, Rainer avait prévu de travailler à la chorégraphie du spectacle de fin d'année. Quand Louise et Alexa arrivèrent au manège, les juments Poésie et Mistinguett étaient déjà prêtes et les attendaient.

– Pendant que vos camarades s'entraînent au saut d'obstacles, nous allons voir ce dont vous êtes capables, déclara Rainer. Louise a un point fort : elle maîtrise parfaitement les pirouettes. Alexa, tu as la chance de monter un cheval de cirque doué de grandes qualités. C'est un avantage certain. Et en même temps, c'est un inconvénient ! Mistinguett va sans cesse essayer de refaire son ancien numéro, par habitude.

– Je crois que je suis la plus têtue des deux ! rit Alexa.

– Ça, ce n'est pas si sûr… Tu as pour toi un atout majeur : tu peux te montrer ferme sans jamais élever la voix. Mistinguett ne supporte pas qu'on lui crie dessus. Elle a besoin de se sentir en confiance.

Alexa posa la main sur l'encolure de Mistinguett et souffla doucement près de son oreille. La jument blanche agita la tête comme si elle acquiesçait. Puis elle souffla en retour. Rainer sourit. Alexa parlait le langage des chevaux, ce qui n'était pas donné à tout le monde.

– On va commencer par votre entrée, proposa Rainer. Vous arriverez chacune par un côté et vous vous rejoindrez au centre. Là, vous exécuterez un piaffer face aux spectateurs.

Le piaffer est un trot sur place, un classique

dans les exercices de dressage. Comme ils étaient à l'extérieur (et sous la pluie...), Rainer posa quatre plots rayés rouge et blanc pour former un rectangle.

– L'espace de la scène sera limité, dit Rainer, ce qui ne va pas vous simplifier les choses. Hors de question dans ces conditions de laisser votre monture trotter. Vous ferez donc votre entrée au pas. Je veux que votre allure ressemble à un passage.

Le passage est un trot très court, régulier et rythmé qui évoque une danse.

Alexa et Louise conduisirent leurs juments l'une à gauche, l'autre à droite à l'arrière de la scène imaginaire. Et là, Mistinguett décida... de tourner autour des plots au petit galop ! Alexa ne s'attendait pas à ça et elle fut prise d'un fou rire quand la jument plia une des jambes avant pour saluer.

– Parfait le salut, commenta Rainer. Mais on va le garder pour la fin !

Alexa ramena Mistinguett à sa position de départ. Elle se pencha pour murmurer dans son oreille.

– D'accord, tu as eu ton moment d'amusement, ma belle. Maintenant, c'est à moi.

Alexa raccourcit la longueur des rênes, obligeant la jument à arrondir l'encolure. Rainer donna le signal pour que les chevaux démarrent en même temps. Poésie avança d'un pas cadencé, très élégant. Mistinguett la regarda avec intérêt. Son instinct de cheval de cirque lui dicta d'imiter Poésie. Quand les deux juments se retrouvèrent face à face, Alexa serra les genoux et relâcha très légèrement la pression sur le mors. Mistinguett comprit que sa cavalière ne souhaitait pas qu'elle s'immobilise. Elle accéléra le mouvement jusqu'au trot, exécutant ainsi un piaffer dans les règles de l'art. Et, cette fois, ce fut Poésie qui l'imita. Rainer croisa les bras et sourit.

– Eh bien, ces deux bêtes sont faites pour travailler ensemble. Louise, plus rassemblé, plus rond ! C'est ça ! On reprend depuis le début !

Et, pendant toute la durée du cours, cavalières et montures recommencèrent, recommencèrent, recommencèrent... Rainer ne laissait passer aucune petite erreur et ne se déclara satisfait que lorsque les piaffers furent exécutés exactement à l'unisson.

– Voilà, dit-il, c'est ce que je voulais. On a l'impression de voir un cheval se reflétant dans un miroir.

– Dommage que Poésie ne soit pas blanche, comme Mistinguett ! remarqua Louise.

– Oh mais non ! répondit Alexa. C'est beaucoup mieux qu'elles soient différentes ! Je crois que ça fonctionne bien entre elles parce qu'elles ne se ressemblent pas, ni par la robe ni par le caractère !

Elle observa Rainer discrètement en ajoutant :

– C'est comme pour les gens. Les personnes réservées sont souvent attirées par celles qui sont plus démonstratives. Les silencieux s'entendent bien avec les bavards, ce n'est pas vrai ?

Rainer était connu pour son calme et son économie de mots. Il ne réagit pas. Alexa soupira. Bon, raté. Au moins, elle pourrait raconter à Idalina qu'elle avait essayé de savoir s'il était amoureux de Miss Daisy.

*Chapitre 4*

# Idalina a réponse à tout

Fatiguées et de bonne humeur, Louise et Alexa arrivèrent au château en discutant de leur entraînement. Une fois dans le hall, Louise sortit une enveloppe de sa poche.

– Je te quitte ici, dit-elle. Rainer m'a demandé de donner cette lettre à Miss Daisy.

– Qu'est-ce qu'il y a dedans ?

– Comment veux-tu que je le sache ?

Alexa n'osa pas suivre sa camarade jusqu'au bureau et monta prendre sa douche et se changer. Quand Alexa se présenta chambre 325, Kumiko et Rajani étaient assises sur un lit. Entre elles deux, il y avait le gros carnet rouge, seul indice dont Kumiko disposait pour retrouver la piste de ses vrais parents. Dans le premier dessin, la Japonaise avait découvert le mot « voyage » caché dans les racines d'un arbre. Les Kinra Girls pensaient qu'il y avait sans doute d'autres mots dissimulés dans les images.

– Je ne vois rien dans ce paysage-ci, déclara Kumiko. Pourtant, je l'ai regardé dans tous les sens.

Alexa s'agenouilla par terre et contempla le délicat dessin à l'encre de Chine.

– Elle pourrait être n'importe où, cette montagne dans la brume, constata-t-elle. Ce qu'il nous faudrait, c'est

quelque chose d'identifiable comme…
une ville, un palais ou une statue…
Kumiko réfléchit un instant puis tourna les pages. Elle pointa le doigt sur l'une d'elles.

– Comme ça ? C'est un temple perdu dans la montagne.

– Là, on aperçoit des marches qui montent vers le temple, remarqua Rajani. Il y a même une passerelle au-dessus du précipice. Oh ! Il y a un tout petit personnage qui grimpe l'escalier ! C'est amusant. Maître Wang pourrait peut-être reconnaître cet endroit.

– Ça m'ennuie de lui montrer le carnet, répondit Kumiko. C'est mon professeur.

– Mais il est gentil ! dit Rajani. Et puis, surtout, il est chinois.

– Je n'ai pas envie de raconter ma vie à mon professeur, d'accord ? Ça ne le concerne pas que j'aie été adoptée !

– T'énerve pas, conseilla Rajani.

– Je ne m'énerve pas, je t'explique !

Puis Kumiko croisa les bras et commença à bouder. Pour rompre un silence embarrassant, Alexa rapporta l'histoire de la mystérieuse lettre de Rainer. Dès qu'elle fut mise au courant, Idalina supposa aussitôt qu'il s'agissait d'une déclaration d'amour.

– Ou bien c'est la facture pour le foin des chevaux ! plaisanta Alexa.

– Toutes les factures sont adressées au directeur, voyons ! rétorqua Idalina. L'autre jour, j'ai entendu l'accordeur

de piano parler avec le pianiste qui nous accompagne pendant les cours de chant. Il lui a dit : j'envoie ma note à M. Meyer, comme d'habitude. Ah ! J'ai raison !

Naïma trouvait quand même bizarre de charger une élève d'une telle mission. Si un jour elle écrivait une lettre d'amour à quelqu'un, elle ne demanderait pas à n'importe qui de la remettre à son amoureux !

– Vous ne comprenez rien, soupira Idalina. C'est courant, au contraire, de faire appel à un messager. C'est plus sûr que la poste.

– Mais Rainer habite au même étage que Miss Daisy ! s'exclama Rajani. Il ne va pas poster sa lettre alors qu'il peut la glisser sous sa porte !

Idalina n'avait pas réfléchi à ça et resta muette.

– C'est peut-être un poème... murmura Kumiko, rêveuse.

Alexa retint une envie de rire. Rainer écrivant des poèmes ! Il y avait peu de chances ! Kumiko chercha le dessin d'une branche de prunier en fleur dans le carnet rouge. C'était l'unique page où on avait écrit quelques lignes, un extrait d'une ancienne poésie chinoise.

– « *Pensant à toi, je suis comme la pleine lune, dont nuit après nuit décroît l'éclat...* » lut-elle.

– C'est triste, commenta Rajani.

Le peintre devait se sentir bien seul.

Qu'est-ce que c'est, cet oiseau ?
Alexa examina la délicate silhouette sur la branche de prunier. Selon elle, l'oiseau pourrait être un rossignol.

– J'ai trouvé pourquoi Rainer n'a pas glissé sa lettre sous la porte de Miss Daisy ! s'écria Idalina. C'est à cause de Mme Beckett ! Elle est toujours en train de surveiller le couloir parce qu'elle a peur que Singrid ne se sauve[5] !

– T'en es encore là ? protesta Alexa. On est passées à autre chose !

– C'est la même histoire, répliqua Idalina. Enfin non, un peu oui… Le poème chinois ! Si le peintre l'a écrit dans son carnet, c'est parce qu'il est très malheureux, parce qu'il est séparé de la femme qu'il aime, ou peut-être parce qu'elle est morte…

– Ou simplement parce qu'il est parti en voyage, dit Kumiko.

5. *Voir le tome 11 des Kinra Girls,* Le Dragon bleu.

– Tout ça, ça fait beaucoup de « parce que » et pas beaucoup de preuves, répondit Rajani. Et je ne vois pas le rapport avec Rainer.

– Ben si ! fit Idalina. Puisqu'il est amoureux et qu'il envoie des poèmes à Miss Daisy !

– Mais tu ne sais pas ce qu'il y avait dans sa lettre ! remarqua Naïma.

Idalina jeta un coup d'œil au réveil sur l'étagère et demanda si ce n'était pas bientôt l'heure de la promenade de Jazz. Alexa la regarda d'un air soupçonneux.

– Il n'y a qu'un moyen de découvrir la vérité, affirma Idalina. Il faut fouiller le bureau de Miss Daisy !

– On n'a pas le droit de faire ça ! s'indigna Rajani.

Kumiko et Naïma n'étaient pas d'accord non plus. Alexa leva la main pour couper court à la discussion.

– Excusez-moi ! Si Idalina a raison, alors Rainer et Miss Daisy sont amoureux ! Donc, tout va bien !

– Oui, acquiesça Idalina. Mais il faudrait être sûres. Je vais t'accompagner. J'aurais peut-être l'occasion d'apercevoir quelque chose d'intéressant. Évidemment, ce serait mieux si Miss Daisy n'était pas là... Si on pouvait la faire sortir de son bureau...

– Et tu comptes sur nous pour ça ! s'exclama Rajani. Non, non et non ! C'est ton idée, alors débrouille-toi !

Idalina était déterminée et personne ne réussirait à la faire changer d'avis. Alexa accepta sa présence à la condition qu'elle se montre prudente.

Quand les deux filles entrèrent dans le bureau de Miss Daisy, celle-ci s'étonna de les voir.

– Jazz n'est pas là, voyons ! C'est le jour de l'inspection des systèmes de sécurité incendie. M. Meyer est très occupé avec les contrôleurs.

– Ben, je ne le savais pas, répondit Alexa.

– Mais si, je t'ai prévenue hier ! s'énerva Miss Daisy.

Alexa fit non de la tête. Idalina contempla le monceau de dossiers sur la table. La pauvre Miss Daisy avait beaucoup trop de travail.

– J'ai oublié de te prévenir ? Oh… désolée.

– Ce n'est pas grave, dit Alexa. Est-ce que M. Brown va venir avec nous à Édimbourg ?

– Oui, il est ravi ! Voilà au moins un problème réglé... Il n'en reste plus qu'une centaine d'autres !

– Vous devriez prendre un bon thé à la cafétéria, conseilla Idalina. Les problèmes attendront bien cinq minutes !

Miss Daisy hésita. L'idée d'une tasse de thé chaud était plutôt tentante. Elle soupira.

– Tu as raison. J'ai besoin d'une pause.

Les filles sortirent avec elles et se dirigèrent vers l'escalier. Dès que l'assistante du directeur eut disparu dans la cafétéria, elles firent prestement demi-tour. Elles devaient se dépêcher. Miss Daisy ne s'absenterait pas longtemps.

– Évitons de déplacer quoi que ce soit, dit Idalina. Elle risquerait de le remarquer.

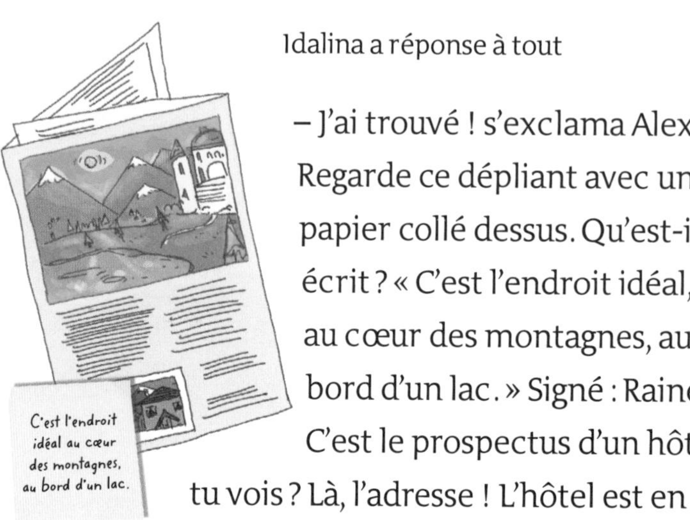


– J'ai trouvé ! s'exclama Alexa. Regarde ce dépliant avec un papier collé dessus. Qu'est-il écrit ? « C'est l'endroit idéal, au cœur des montagnes, au bord d'un lac. » Signé : Rainer. C'est le prospectus d'un hôtel, tu vois ? Là, l'adresse ! L'hôtel est en Autriche. Normal, Rainer est autrichien.

Des étoiles s'allumèrent dans les yeux d'Idalina. Elle joignit les mains sur sa poitrine.

– Oh, c'est tellement romantique... Il veut emmener Miss Daisy en voyage !

Alexa était moins sensible au côté romantique de la chose et elle pressa son amie. Inutile de traîner maintenant qu'elles avaient leur réponse.

Rainer et Miss Daisy étaient amoureux.

*Chapitre 5*

# M. Brown s'amuse

M. Brown était certainement le plus heureux de tous les voyageurs de l'aéroport. L'idée d'un séjour à Édimbourg le mettait en joie. Il avait hâte de faire découvrir sa ville natale à ses élèves. Miss Daisy se réjouissait presque autant que lui. Deux jours loin de ses dossiers, quel bonheur !

– Je vous ai préparé un programme dont vous vous souviendrez longtemps !

annonça M. Brown au milieu de la salle d'attente.

Perplexe, Mme Beckett lui demanda des précisions.

– Vous ne préférez pas avoir la surprise ? lui répondit gaiement M. Brown.

– Je n'ai plus 5 ans.

– Allons donc ! rit M. Brown. L'âge, c'est dans la tête !

Mme Beckett le fixa avec ce regard bien connu de ses élèves, celui qui intimidait les uns et terrorisait les autres. Mais il n'y avait aucune chance qu'il effraie le facétieux M. Brown.

– En tout cas, j'espère que vous n'avez rien prévu pour ce soir, dit Mme Beckett. Parce que nous avons une réservation pour la Burns Night.

– Oh, bien sûr ! s'exclama M. Brown. Nous sommes le 25 janvier !

Louise leva le doigt comme si elle était encore en classe.

– Qu'est-ce que c'est, la Burns Night ?

M. Brown expliqua que Robert Burns, né au XVIII^e^ siècle, était le poète écossais le plus célèbre. Le 25 janvier, on fêtait l'anniversaire de sa naissance dans toute l'Écosse et même dans d'autres pays du monde.

– Nous assisterons à une lecture de ses poèmes, ajouta Mme Beckett, la mine gourmande.

– Hein ? fit Alexa en grimaçant. Des poèmes ?

Elle n'était pas la seule à avoir l'air accablé.

– Oh, ne vous inquiétez pas ! s'écria M. Brown. C'est beaucoup plus amusant que vous ne croyez ! On joue de la cornemuse, on déguste des spécialités écossaises et on boit du whisky !

Miss Daisy se tourna vers lui, atterrée.

– Heu... enfin, le whisky, ce n'est pas pour les enfants... balbutia M. Brown.

– Et ça ne sera pas pour vous non plus, rétorqua Mme Beckett.

L'hôtesse derrière son comptoir invita les voyageurs à monter dans l'avion. Dans la file qui s'acheminait vers l'appareil, Kumiko demanda à Mickael quelles étaient les spécialités de son pays.

– Le porridge, répondit Mickael, sinistre. Ma grand-mère m'en servait un bol tous les matins, et c'est juste immonde.

– Mais qu'est-ce que c'est ?

– Des flocons d'avoine bouillis dans l'eau.

En plus, c'est salé et poivré ! Le pire, c'est que ma grand-mère m'obligeait à remuer le porridge pendant la cuisson. Attends ! Tu ne sais pas le meilleur encore ! On tourne avec la main droite, uniquement avec une cuillère en bois et dans le sens des aiguilles d'une montre ! C'est la tradition et ma grand-mère est très attachée à toutes les coutumes idiotes !

– Comme quoi ? s'informa Rajani qui les écoutait.

– Ben... par exemple on mange le fromage après le dessert, pas avant. À table, on garde les mains sur les genoux entre les plats.

Les élèves passèrent devant Mme Beckett à l'entrée de l'avion. Leur professeur les comptait. Elle avait toujours peur d'en oublier un quelque part ! Idalina, qui supportait assez mal les voyages en avion,

s'assit sur un siège côté couloir. Au cas où elle serait malade, elle pourrait se rendre aux toilettes plus rapidement.
L'avion était en vol depuis peu quand Alexa aperçut M. Brown se diriger vers l'arrière avec son sac à la main. Au bout d'un quart d'heure, elle commença à s'inquiéter.
M. Brown serait-il malade, comme Idalina ?
Alexa se décidait à aller voir quand le professeur réapparut. Elle fut secouée d'un tel fou rire que la plupart des passagers se retournèrent.
M. Brown portait un kilt !

– Oh, monsieur, vous êtes trop beau ! s'écria Mickael. C'est le tartan de votre clan ?

M. Brown acquiesça. Les questions de ses élèves fusèrent de tous côtés. Ravi de son succès, le professeur entreprit d'y répondre au mieux. Il expliqua d'abord que le motif à

carreaux était typique du tartan, le tissu en laine dont était fait son kilt. Tous les clans écossais, autrement dit les familles, avaient un tartan spécifique. Le tartan du clan Brown était composé de carreaux rouges et noirs avec un peu de bleu et de vert.

– J'adore le béret à pompon ! admira Kumiko. Et la veste est magnifique aussi !

– Je n'ai emporté que la veste pour le soir, celle avec des boutons d'argent. Normalement, dans la journée, je devrais porter une veste avec des boutons faits de corne.

– Qu'est-ce que c'est, sur le kilt ? demanda Naïma. Une pochette ?

– C'est une bourse en cuir, en réalité. Ça s'appelle un ***sporran***. Et là, en bas, il y a une grande épingle dont le poids seul suffit à empêcher le pan supérieur du kilt de se soulever. Il me manque un élément essentiel : le ***sgian dubh***, ce qui signifie « couteau noir » en gaélique, la langue des Écossais. Malheureusement, c'est une arme et c'est interdit en avion.

Rajani s'intéressa aux chaussures dont les longs lacets étaient savamment croisés jusqu'à mi-mollet et noués sur le côté.

M. Brown expliqua que ces chaussures étaient des ***ghillie brogues***. Les petits trous dans le cuir n'étaient pas décoratifs. Ils servaient à évacuer l'eau car on marche beaucoup dans la boue en Écosse !

Enfin, il montra l'écusson de son clan, accroché à son béret. Il représentait un lion rouge dressé sur ses pattes arrière et qui tenait une fleur de lis dans une de ses pattes avant. Autour, il y avait écrit en latin la devise des Brown : ***Floreat Majestas***, ce qu'on pourrait traduire par « que la majesté s'épanouisse ».

Une hôtesse moyennement contente
vint lui taper sur l'épaule pour le prier
de s'asseoir à sa place. Confus, M. Brown
lui présenta ses excuses et s'empressa
d'obtempérer.

– J'espère que vous avez fini de vous faire
remarquer, commenta Mme Beckett.

M. Brown sourit, une lueur malicieuse dans
les yeux.

*Chapitre 6*

# Une pierre légendaire, un poète et un air de cornemuse !

Après que les élèves eurent déposé leur sac dans les chambres, Mme Beckett les rassembla devant l'auberge de jeunesse. Il faisait extrêmement froid sous la pluie fine et serrée. Alexa se tourna vers Mickael.

– Laisse-moi deviner : quand il ne pleut pas dans ton pays, c'est qu'il y a du brouillard ?

– C'est à peu près ça ! rit Mickael. Les Écossais disent que la pluie est une bénédiction car c'est avec de l'eau qu'on fabrique le whisky !

Mme Beckett réclama le silence et énonça le programme de la journée. D'abord, ils allaient déjeuner dans un ***fish and chips***, un restaurant de poisson frit et de frites, ce qui était du goût de tout le monde. Ensuite, ils iraient visiter le château d'Édimbourg. Michelle leva la main.

– Quand est-ce qu'on fait du shopping ? demanda-t-elle.

– Ça fait plaisir de voir que découvrir de nouvelles choses t'intéresse autant, répondit Mme Beckett.

– Justement ! répliqua Michelle. M. Brown m'a appris que la famille royale achetait ses kilts dans une boutique de la ville ! Il faut absolument y aller !

Avant que Mme Beckett ne se fâche, Miss Daisy donna le signal du départ. Direction : le ***fish and chips***. Après une petite heure dans les odeurs de friture mais au chaud et au sec, les élèves dirent au revoir à Jennifer qui devait partir s'entraîner avec son professeur de tennis. La finale avait lieu le lendemain.

L'impressionnant château d'Édimbourg était perché sur un rocher noir et escarpé. Il ressemblait plus à une forteresse qu'à un palais. Si les garçons apprécièrent les canons et le musée militaire, les filles aimèrent surtout les appartements royaux et... le trésor ! La couronne composée de cent perles, dix diamants et trente autres pierres précieuses n'était sans doute pas aussi spectaculaire que celle de la reine d'Angleterre. Elle était tout de même très belle.

M. Brown pria les élèves de s'approcher d'un gros bloc de grès garni d'anneaux de fer rouillés.

– Voici la Pierre du destin, dit-il. Elle n'est revenue à Édimbourg que depuis peu d'années. La légende raconte qu'elle provient de la Terre sainte et que le prophète Jacob s'en servait d'oreiller…

Il expliqua que la Pierre du destin avait été volée par Édouard Ier d'Angleterre et que, pendant sept cents ans, elle était restée sous le trône de l'abbaye de Westminster, à Londres. Tous les rois et les reines anglais se sont assis dessus au moment de leur couronnement. Jamais les rois écossais n'auraient osé en faire autant. Ils se tenaient debout au-dessus de la pierre.

– Là où l'histoire devient amusante, continua M. Brown, c'est qu'il est possible qu'Édouard Ier ait été trompé et qu'il ait volé une fausse pierre. Rien n'est sûr, cependant il existe des textes anciens qui parlent d'un bloc de marbre noir décoré.

– Où serait la vraie Pierre du destin, dans ce cas ? demanda Naïma.

– Mystère ! Certains pensent qu'on l'aurait cachée pour la protéger.

Beaucoup de gens se sont mis à sa recherche. Jusqu'à présent, sans aucun succès !

Kumiko donna un coup de coude à Alexa.

– On devrait peut-être essayer, murmura-t-elle. On est plutôt douées pour trouver les trésors !

Les enfants commençaient à être fatigués. Mme Beckett proposa un temps de repos à l'auberge de jeunesse avant de ressortir le soir pour la Burns Night. Il pleuvait toujours quand ils quittèrent le château. M. Brown invita Miss Daisy à partager son grand parapluie, ce qu'elle accepta volontiers. En se dirigeant vers l'arrêt du bus, Miss Daisy passa son bras sous celui du professeur. Leur conversation était animée et ponctuée de rires. Idalina, qui marchait derrière eux, fronça les sourcils. Que faisait donc Miss Daisy ? Elle n'avait tout de même pas déjà oublié Rainer ? Perturbée, Idalina se confia à Naïma qui lui répondit que Miss Daisy avait le droit de s'amuser.

– Mais non ! protesta Idalina. Regarde ! Elle tient M. Brown par le bras !

– C'est pour mieux s'abriter sous le parapluie, voyons ! C'est une grosse averse ! Ah ouf ! Voilà le bus !

Pendant le trajet, Idalina surveilla de près les adultes. Maintenant qu'ils étaient au sec, l'excuse de l'averse n'était plus valable. Certes, Miss Daisy avait lâché le bras du professeur. Cependant, elle continuait de bavarder gaiement avec lui. Et M. Brown semblait beaucoup apprécier sa compagnie... De retour dans le dortoir des filles, Idalina réclama une bora[6] d'urgence. À mi-voix pour

6. *Bora : cérémonie sacrée chez les Aborigènes. C'est ainsi que les Kinra Girls nomment leurs réunions secrètes.*

ne pas être entendue par les autres élèves, elle leur fit part de son inquiétude. C'était terrible pour le pauvre Rainer ! Lui qui voulait emmener Miss Daisy en Autriche !

– Faudrait savoir, remarqua Kumiko. Un jour, tu nous dis que Miss Daisy est amoureuse, le lendemain, c'est Rainer, l'avant-veille, ce sont les deux, aujourd'hui, c'est M. Brown... Je ne comprends plus rien, moi !

– Moi non plus, c'est bien le problème ! répliqua Idalina.

– Il ne vous est pas venu à l'esprit qu'on se trompe peut-être complètement ? demanda Rajani.

– On n'a pas inventé le dépliant de l'hôtel avec le mot de Rainer, dit Alexa. Il a écrit : « C'est l'endroit idéal, au cœur des montagnes, au bord d'un lac. » Un endroit idéal pour quoi si ce n'est pas pour un petit voyage en amoureux ?

– Seule Miss Daisy pourrait nous l'expliquer, répondit Naïma. Qui se dévoue pour lui poser des questions ? Pas moi ! Pensons à autre chose, par pitié ! J'espère qu'on va bientôt dîner. Je meurs de faim.

Vers 6 heures du soir, Mme Beckett rassembla ses élèves. D'un air sévère, elle les prévint qu'elle attendait d'eux une conduite irréprochable. Ils avaient la chance d'être invités à participer à la Burns Night dans un restaurant réservé par une famille écossaise. C'était un grand honneur et une merveilleuse occasion de voir comment on fêtait le poète dans le respect de la tradition. Comme le restaurant n'était pas très loin, le groupe s'y rendit à pied... sous la pluie. Ce qui fit dire à Mickael que d'être trempé jusqu'aux os, c'était vraiment respecter la tradition. Ils furent accueillis par un vieux monsieur en kilt. Il les invita à entrer avec un aimable sourire. Il s'appelait William et son clan était celui des Murray.

William réclama le silence. En tant que chef de famille, il lui revenait de lancer les festivités.

– Bienvenue à tous ! Aujourd'hui, 25 janvier, nous célébrons la naissance de Robert Burns, le plus grand de nos poètes ! Burns a transformé en magnifiques poèmes les ballades de la vieille Écosse et a permis au monde entier de découvrir le folklore de notre beau pays. Également auteur de chansons, il nous a laissé ***Auld Lang Syne***, qu'on pourrait traduire par « Au temps des jours passés ». ***Auld Lang Syne*** est chanté dans toutes les langues, c'est le chant que les scouts entonnent

au moment de se séparer. Il a été
adapté en français sous le nom de
*Ce n'est qu'un au revoir*.

William était bavard et sa femme coupa court à son discours car il risquait de durer longtemps. Du fond de la cuisine retentit la musique nasillarde d'une cornemuse. Apparut le musicien, un gros bonhomme chauve aux joues écarlates. Il fit plusieurs fois le tour de la salle, suivi par deux hommes qui portaient un large plateau de bois. Et sur le plateau, il y avait une drôle de chose qui ressemblait à un sac blanchâtre et rebondi. Finalement, ils s'arrêtèrent devant le comptoir du restaurant et y déposèrent le plateau.

– C'est quoi, ce machin fumant ? s'interrogea Ruby à haute voix.

Mme Beckett se retourna vers elle et la fusilla du regard. Le joueur de cornemuse

haggis
Scotland
special

termina son morceau. William Murray passa derrière le comptoir et aiguisa ses couteaux. Puis, d'une voix étonnamment forte, il récita un poème de Robert Burns qui laissa les élèves perplexes. Le texte était en ***scots***, une langue germanique assez proche de l'anglais et particulière à une partie de l'Écosse. Pendant que l'assemblée applaudissait la prestation de William, M. Brown donna quelques explications. Ils venaient d'entendre l'*Hymne au haggis*, un poème plein d'humour à la gloire du plat national écossais. Mais qu'était-ce donc que le **haggis** ?

– De la panse de brebis ou de mouton farcie avec des abats de mouton, le foie, le cœur, les poumons… dit M. Brown. Les abats sont hachés menu et mélangés à de la farine d'avoine, des oignons, de la graisse de rognons et des épices.

Les élèves firent des grimaces écœurées.

Michelle jura que jamais elle ne mangerait une chose aussi immonde.

– C'est dans ces moments-là que je suis contente d'être végétarienne, commenta Alexa.

William plongea son couteau dans la panse de brebis et l'ouvrit. Il découpa de fines tranches et les déposa dans les assiettes que son épouse lui tendait. Une jeune femme y ajoutait deux sortes de purée, une de pommes de terre, l'autre de navets, avant de les distribuer.

Quand l'assiette atterrit devant Naïma, tous ses camarades l'observaient.

– Ils attendent de voir ta réaction, remarqua Rajani. On sait que tu es gourmande !

Naïma empoigna sa fourchette sans hésitation. Elle avala une petite bouchée, écarquilla les yeux et en prit aussitôt une deuxième.

– C'est super bon ! s'exclama-t-elle.
C'est un peu comme un pâté chaud,
très fondant et épicé !

Alexa goûta la purée de navets et la trouva délicieuse. Peu d'élèves refusèrent de manger du ***haggis*** et ceux qui essayèrent furent plutôt agréablement surpris.

La soirée se poursuivit avec une lecture de poèmes. Mme Beckett était ravie. Les enfants, nettement moins... Leur moral remonta avec le dessert. On leur servit un dessert fait de farine d'avoine, de miel, de crème et de whisky, l'***Atholl Brose***.

– Il n'y a pas quelque chose sans whisky ? demanda Mme Beckett.

– Ben non, répondit M. Brown. On est en Écosse ! Mais ne vous inquiétez pas, c'est juste pour parfumer. C'est à peine si on le sent.

Miss Daisy, comprenant que les élèves commençaient à se lasser, décida qu'il était temps de partir. Mme Beckett, grande admiratrice de poésie, protesta. Heureusement, le professeur de tennis intervint. Il avait un argument de poids : Jennifer jouait sa finale à 10 heures et elle devait être en forme.

On remercia chaleureusement la famille Murray pour son accueil. Naïma félicita les cuisiniers, ce qui leur fit grand plaisir.

Sur le chemin du retour, Rajani s'informa auprès de Mme Beckett du programme du lendemain après-midi.

– Eh bien, il y a une lecture de poèmes dans un théâtre… commença Mme Beckett.

– Encore ? l'interrompit M. Brown. Enfin, il y a plus distrayant pour des gamins de 11 ans ! Nous sommes dans la ville la plus hantée du monde, on ne peut pas rater ça !

– Quoi ? fit Michelle. Hantée ?

– Oui, oui ! acquiesça M. Brown avec enthousiasme. Il y a des visites guidées des endroits les plus sinistres où on vous raconte les plus affreuses histoires de fantômes et de crimes épouvantables ! C'est un vrai bonheur !

– Vous êtes fou ! s'écria Mme Beckett. Vous voulez qu'ils fassent des cauchemars le restant de l'année ?

– Moi, je ne veux pas entendre des choses horribles ! s'insurgea Ruby.

Mickael passa derrière elle et lui glissa dans l'oreille :

– Tu préfères trois heures de poésie ?

Ruby changea de tête et s'empressa de rectifier.

– Enfin, c'est peut-être intéressant quand même !

– Et si on faisait du shopping, plutôt ? proposa Michelle.

– Tu nous casses les pieds avec ton shopping ! lui répondit Alexa.

Mickael encouragea les autres à se joindre à lui pour réclamer la visite guidée.

– Les fantômes ! Les fantômes ! scandèrent les élèves de concert.

Mme Beckett leva les bras au ciel.

– Très bien, puisque c'est ce que vous souhaitez ! Mais vous ne viendrez pas vous plaindre après !

M. Brown fit un clin d'œil à Mickael qui se mit à rire. Trop cool, le prof de maths.

*Chapitre 7*

# La ville la plus hantée du monde

Le lendemain matin, Jennifer se leva tôt et partit avec son professeur de tennis. Elle devait s'échauffer avant sa finale. Après leur petit déjeuner, ses camarades prirent un car spécialement réservé pour eux. Ils arrivèrent à 9 h 30 au complexe sportif. Ils furent assez étonnés de voir qu'il y avait déjà des spectateurs dans les gradins. Le tournoi était plus important qu'ils ne l'avaient cru et attirait du monde.

Le court était couvert, ce qui était une bonne nouvelle car, évidemment, il pleuvait ! L'adversaire de Jennifer était une Néo-Zélandaise. Quand elle entra sur le court, elle fut très applaudie. Elle avait de nombreux supporters dans la salle. Jennifer la suivait et salua à son tour.

– Allez, Jenny ! cria Mickael. On est avec toi ! Quand elle passa devant la Néo-Zélandaise, chacun put constater que Jennifer était la plus petite des deux.

– Heu… Vous croyez que Jennifer fait le poids ? s'inquiéta Alexa. Elle est impressionnante, cette Néo-Zélandaise ! Est-ce qu'elle n'est pas plus âgée, aussi ?

– Si, elle a 13 ans, répondit Miss Daisy, assise derrière elle.

– Ben, c'est pas juste ! protesta Idalina.

– C'est comme ça, dit Miss Daisy. C'est une compétition ouverte aux 11-13 ans.

Mais si Jennifer est en finale, c'est qu'elle est meilleure que beaucoup d'autres ! Si ce n'était pas le cas, elle ne serait pas à l'Académie Bergström, n'est-ce pas ?

Les joueuses échangèrent quelques balles avant de regagner leurs bancs. Les arbitres apparurent et prirent leurs places. Puis l'arbitre de chaise invita les concurrentes à commencer le match. Jennifer servait la première… et rata ses deux balles de service.

– 0-15, annonça l'arbitre.

– Jenny est trop nerveuse, remarqua Rajani.

– Elle va se reprendre, c'est une battante ! affirma Naïma.

Et elle avait raison. Jennifer ne se laissa pas déstabiliser par son mauvais départ. Elle remporta son jeu. La Néo-Zélandaise était coriace et se défendait bien. Malgré l'avantage de l'âge et de la taille, elle avait

tout de même un peu de mal à suivre le rythme imposé par Jennifer. Celle-ci compensait sa faiblesse physique par une grande mobilité et de la rapidité. Jennifer montait souvent au filet et obligeait son adversaire à reculer en fond de court. La Néo-Zélandaise accumulait les fautes. Elle perdit le premier set. En confiance, Jennifer poursuivit sa stratégie et réussit de très beaux coups, fort acclamés par ses camarades de classe. Au jeu décisif, elle garda son sang-froid et finit par un service gagnant. Des « bravos » et des « hourras » accueillirent sa victoire.

– Hé bé ! s'exclama Kumiko. Elle est drôlement forte, notre Jenny !

– C'est une vraie championne ! s'enthousiasma Mickael.

Ruby haussa les épaules et dit d'un air méprisant :

– Oui, enfin, ce n'est que du tennis !

– Il y en a qui sont jalouses… ricana Alexa.

Jennifer reçut sa coupe sous les acclamations. La Néo-Zélandaise repartit aussi avec une coupe, une toute petite… Elle s'efforçait de sourire, mais on voyait bien qu'elle était déçue.

Quand Jennifer sortit des vestiaires, les élèves l'applaudirent à tout rompre. Son professeur de tennis l'embrassa sur les deux joues. C'était peut-être lui le plus heureux !

– Félicitations, dit Mme Beckett. Tu fais honneur à l'Académie Bergström !

– Merci, madame, répondit Jennifer. Merci à tous ! Je me suis vraiment sentie portée par vos encouragements.

– Il faut fêter ça dignement ! déclara M. Brown. Que pensez-vous d'une dégustation de saumon fumé, de croquettes de poisson et de soupe au crabe ? Comme j'étais sûr de la victoire de Jennifer, j'ai réservé dans un restaurant que je connais bien !

Mme Beckett s'affola. Ils n'avaient pas de budget pour ça ! Miss Daisy la rassura. Le directeur avait donné son accord à M. Brown. Le professeur de maths savait se montrer persuasif...

Si l'Écosse est la patrie du whisky et du ***haggis***, elle est aussi très connue pour ses saumons sauvages, frais ou fumés et toujours savoureux.

Le déjeuner se révéla délicieux.

Tout le monde fut d'accord pour dire avec Kumiko : j'adore !

– Je croyais que tu étais végétarienne, Alexa ? se moqua Naïma.

– Le poisson et les fruits de mer, ça ne compte pas, répondit l'interpellée en léchant sa fourchette. Hum... Pas mal, la mayonnaise.

M. Brown s'inquiéta de l'heure et pressa le mouvement. Il serait impoli d'être en retard au rendez-vous avec le guide. Quand le groupe sortit du restaurant, ô miracle ! Il ne pleuvait plus !

Le guide les attendait à côté d'une fontaine en bronze. Il portait un costume à la mode du XVIIe siècle, veste noire au grand col de dentelle blanche et l'indispensable chapeau à large bord.

– Bonjour ! salua-t-il. Je suis Steve. Mais certains prétendent que je suis le fantôme du cordonnier qui hante Mary King's Close où nous allons nous rendre.

Steve expliqua que le mot ***close*** signifiait « ruelle » ou « allée ». Mary King's Close était un dédale de salles et de passages souterrains. À l'origine, les petites rues étaient à la surface. Mais on avait construit par-dessus décennie après décennie et elles étaient donc désormais sous les bâtiments.

– Voici le puits des sorcières, déclara Steve en montrant la fontaine. Il fut érigé à la mémoire des victimes brûlées pour sorcellerie.

– Ça commence bien... bougonna Mme Beckett.

Steve proposa d'abord un tour dans la vieille ville, un labyrinthe de ruelles pavées et d'escaliers raides. Étonnamment, Mme Beckett trouva la visite fort intéressante. Jusqu'à ce que leur guide s'arrête devant une maison à pignon. Il indiqua les deux sculptures sur la façade. L'une était une chouette et l'autre, une affreuse créature qui ressemblait à un chat muni d'énormes griffes et d'inquiétants crocs pointus.

– On ignore pourquoi on a placé ce monstre ici, dit Steve. Mais d'aucuns pensent qu'Édimbourg est peuplé de vampires, alors...

Tout le monde contemplait les sculptures sans prêter attention à ce qui se tramait derrière eux... Un hurlement effrayant retentit. Un horrible personnage avec un masque diabolique sauta au milieu du groupe en gesticulant. De surprise, Miss Daisy se réfugia dans les bras de M. Brown en poussant des cris aigus. Après un court moment de panique,

les élèves éclatèrent de rire. Furieuse, Mme Beckett apostropha l'individu habillé d'une longue cape noire et d'un chapeau haut de forme.

– J'ai failli vous taper dessus avec mon parapluie ! Vous auriez trouvé ça drôle, aussi ?

– Allons, allons ! répondit Steve. Ça fait partie du spectacle, voyons !

Idalina regarda M. Brown qui semblait plutôt apprécier que Miss Daisy s'accroche à son cou. Mais la jeune femme s'écarta prestement, les joues rouges de confusion.

– Pardon, s'excusa-t-elle. C'est une réaction que je n'ai pas pu contrôler !

Miss Daisy se mit à rire.

– Il peut se vanter de m'avoir vraiment fait peur !

Le comédien salua la compagnie, s'enveloppa dans sa cape et s'enfuit en

courant dans la rue, au grand amusement des passants. Steve invita les visiteurs à le suivre. Il était temps de se rendre à Mary King's Close. Un des lieux les plus hantés d'Édimbourg, selon lui. Mme Beckett leva les yeux au ciel. Ça promettait...
Un escalier étroit descendait sous le bâtiment occupé par les bureaux de la municipalité. Une demi-obscurité régnait, les lieux n'étant éclairés que par quelques lanternes. Les différents guides portaient tous des costumes d'époque. Dans la ruelle principale, du linge était suspendu, comme si l'endroit était encore habité. Les maisons étaient modestement meublées. Dans certaines, des scènes étaient représentées avec des mannequins grandeur nature. La salle la plus impressionnante était celle où des victimes de la peste étaient soignées par un médecin. Enfin soignées, façon de

parler… car, en 1645, on ne pouvait pas sauver grand monde des ravages d'une telle épidémie. Le mannequin du médecin était assez amusant en raison de son masque au très long bec qui rappelait celui d'un toucan. Le masque était supposé protéger contre la maladie. On se doute bien qu'il ne devait guère être efficace.

« Et les fantômes, alors ? » se demandaient les enfants. D'après Steve, ils étaient fort nombreux car beaucoup de gens avaient péri ici même dans des conditions épouvantables. Depuis, guides et visiteurs avaient été témoins de manifestations surnaturelles.

– Au pays du whisky, ça ne m'étonne pas ! railla Mme Beckett.

– Personne n'avait bu ! protesta Steve. Mais il y a peut-être une autre explication. Avant, il y avait un lac, le

Nor Loch, à proximité. Ses eaux étaient insalubres et les gaz qui s'en échappaient ont peut-être été la cause d'hallucinations. Néanmoins, le Nor Loch n'existe plus.

Et les fantômes rôdent toujours…

Dans la dernière salle, les enfants découvrirent avec surprise une malle débordante de poupées et de nounours. Steve ramassa des peluches qui traînaient au milieu de la pièce et les replaça sur le tas.

– C'est souvent comme ça, dit-il. Annie joue avec les jouets et les laisse un peu partout.

– Annie ? répéta Alexa.

– Quand Mary King's Close a été rouverte, il y a quelques années, les premières personnes à y entrer ont entendu pleurer. C'était le fantôme d'Annie, une petite fille de 8 ans, qui pleurait sa poupée perdue. Annie

avait contracté la peste et elle a été abandonnée dans ce lieu par ses parents. Depuis, les visiteurs lui apportent des jouets pour la consoler. Elle remercie parfois en leur touchant la main. Et comme vous l'avez vu, elle déplace les nounours !

Singrid avait pâli en écoutant l'histoire de la fillette abandonnée.

– Mais on n'a rien pour elle, nous... murmura-t-elle.

– On s'en va, maintenant ? supplia Naïma. Je déteste cet endroit !

– Je vous avais prévenus, rétorqua Mme Beckett. Bon, ça suffit ! Regagnons la surface !

Pour une fois, les enfants la suivirent volontiers. Ils n'étaient pas loin de regretter la lecture de poèmes... Au moment de quitter la salle, Rajani se retourna. Singrid était encore devant la malle. Rajani revint rapidement sur ses pas. Singrid la regarda avec des yeux humides. Rajani devina qu'elle pensait à sa maman qui était décédée. Dans un geste d'une grande tendresse, elle passa son bras sous celui de la petite Suédoise.

– Viens, on nous attend.

– On n'a pas apporté de joujoux à Annie, balbutia Singrid au bord des larmes.

– Alors parlons-lui. Annie ! On t'aime et on ne t'oubliera pas !

– Je t'aime ! dit Singrid avec un sourire triste. Au revoir !

*Chapitre 8*

# Et voilà pourquoi on aime M. Brown !

Tout le monde était épuisé après cette longue journée. À part Mme Beckett qui avait une santé de fer et de l'énergie à revendre. Dans leur dortoir, les filles se tournaient et se retournaient dans leur lit. Malgré la fatigue, il était difficile de s'endormir. La visite de Mary King's Close en avait impressionné plus d'une...

Les Kinra Girls avaient essayé de distraire Singrid pendant le dîner. La Suédoise était

encore plus renfermée qu'à l'accoutumée. Elle gardait la tête baissée et mangeait à peine. Dès son retour dans le dortoir, elle s'était blottie dans son coin avec son doudou, un élan en peluche, serré contre son cœur. Quand Miss Daisy passa pour éteindre les lumières, Singrid ne s'allongea pas sous les couvertures et resta en boule, appuyée contre le mur.
Grâce au lampadaire dans la rue, Rajani pouvait voir la silhouette immobile de Singrid. Un peu inquiète du comportement de celle-ci, elle lutta contre le sommeil afin de la surveiller. Et puis, ses paupières devinrent trop lourdes et elle s'endormit.
Quand une main se posa sur sa bouche, Rajani se réveilla en sursaut. D'abord effrayée, elle se débattit quelques secondes avant de reconnaître le visage penché sur elle.

– Chuuuttt… fit Alexa en enlevant sa main. Désolée, je devais t'empêcher de crier…

– Qu'est-ce qui te prend ? demanda Rajani, assez fâchée.

– J'étais aux toilettes, répondit Alexa. Une envie pressante… En revenant, j'ai remarqué que Singrid n'était plus là.

Et je sais qu'elle n'est pas aux toilettes. En revanche, il y a une fenêtre grande ouverte…

Rajani se redressa.

– Oh non… gémit-elle. Elle s'est enfuie !

– Possible, mais son sac est toujours là.

Rajani se leva et se dirigea vers le lit vide. Elle écarta les draps et souleva l'oreiller. Elle fit signe à Alexa de la suivre dans le couloir où elles pourraient parler plus aisément.

– Sa parka et ses bottes ne sont plus là, annonça-t-elle. Il y a pire : son doudou a disparu aussi.

– Ben, qu'est-ce que ça signifie ?

Rajani poussa un soupir.

– Je suis sûre qu'elle est repartie à Mary King's Close pour donner sa peluche à Annie.

– Ce n'est pas fermé à cette heure-ci ?

– Peut-être pas. J'ai entendu le guide dire

que des gens réservent pour visiter la nuit. Faut croire qu'il y en a qui adorent jouer à se faire peur. Singrid risque de se perdre et… oh… Il pourrait lui arriver quelque chose !

– Alors, on y va ? demanda Alexa.

– Non, voyons ! Il faut prévenir Mme Beckett.

– Si on fait ça, Singrid va être renvoyée de l'école.

Il était rare que Rajani ne sache plus quoi faire. Elle ne voulait pas que leur amie soit expulsée de l'Académie Bergström. Mais Singrid était seule dans la ville. Cette fois-ci, les Kinra Girls ne pouvaient pas réparer ses bêtises.

– Je crains qu'on n'ait pas le choix, hélas.

Alexa rattrapa Rajani qui avançait déjà vers la chambre de Mme Beckett.

– Non, attends ! J'ai une meilleure idée.

M. Brown ! Il connaît Édimbourg comme sa poche.

Rajani acquiesça. M. Brown avait plus de chances de retrouver Singrid rapidement. Le professeur de maths avait pour habitude de lire le journal avant de se coucher. Il ne dormait pas encore quand les filles frappèrent à sa porte. M. Brown leur ouvrit et eut l'air interloqué.

– Que voulez-vous, toutes les deux ?

Rajani commença une phrase et soudain s'effondra en larmes.

M. Brown supposa qu'elle avait fait un cauchemar, ce qu'Alexa réfuta aussitôt. Quand il comprit ce qui se passait, il décida aussitôt de partir à la recherche de Singrid. Malgré l'insistance d'Alexa, M. Brown se montra intraitable. Il n'était pas question qu'elles l'accompagnent. Rajani essuya ses joues et essaya de contrôler ses sanglots.

– Elle s'est enfuie par la fenêtre des toilettes, précisa Alexa. Heureusement qu'on est au rez-de-chaussée. Vous nous la ramenez, hein ? S'il vous plaît...

Puis elle prit Rajani par les épaules et la conduisit dans le dortoir. Alexa s'assit à côté d'elle sur le lit et se prépara à une longue attente dans l'angoisse.

M. Brown s'assura d'abord que Singrid ne s'était pas blessée en sautant par la fenêtre. Il n'y avait personne dans la rue déserte. L'auberge de jeunesse n'était pas très éloignée de Mary King's Close. Encore fallait-il être capable de s'orienter dans une ville inconnue. Singrid avait-elle repéré le trajet ? M. Brown songeait déjà à faire appel à la police. Il se sentait un peu coupable. C'était lui qui avait organisé la visite... Sous le coup de l'émotion, il se mit à courir. Le froid était mordant mais, au moins, il ne pleuvait pas.

Son cœur battit à tout rompre quand il approcha des bâtiments municipaux. Devant la grille cadenassée, il aperçut la petite fille, figée comme une statue.

– Singrid ! cria-t-il.

Elle tourna la tête vers lui. Elle pleurait silencieusement.

– C'est fermé, dit-elle.

M. Brown souffla bruyamment. Il n'avait jamais été aussi soulagé de sa vie ! Singrid lui tendit son élan en peluche.

– C'était pour Annie !

M. Brown entendit le désespoir dans sa voix. Il aurait dû la disputer, mais il n'en avait vraiment pas le courage. Il avisa un papier d'emballage que quelqu'un avait jeté par terre. Il le ramassa et chercha son stylo dans la poche intérieure de sa veste. En s'appuyant sur le mur, il écrivit : « *S'il vous plaît, pouvez-vous donner ma peluche à Annie ? Merci.* »

MARY KING'S CLOSE

Puis il ôta l'épingle de son kilt et attacha le papier à l'oreille de l'élan. Enfin, il glissa le jouet entre les barreaux de la grille.

Un sourire illumina le visage de Singrid.

– On va le trouver demain matin, n'est-ce pas ?

– Je n'en doute pas. Allons-y maintenant. Rajani est dans tous ses états !

Singrid fit « oh ». M. Brown la prit par la main.

– Vous allez le dire à M. Meyer ? Il va me renvoyer ?

– M. Meyer sait bien que tu as des problèmes et que tu as du chagrin. Néanmoins, ça n'excuse pas tout. Sortir au milieu de la nuit, c'est très dangereux.

Tu ne peux pas continuer à faire n'importe quoi.

– J'arrive pas à oublier… bégaya Singrid.

M. Brown serra sa main plus fort.

– Personne ne te demande d'oublier ta maman, répondit-il. Mais tu n'es pas la seule à l'avoir perdue. Ton papa également. Et tant que tu resteras à l'Académie Bergström, c'est comme s'il t'avait perdue, toi aussi.

Singrid s'arrêta et regarda le professeur.

– Je n'avais jamais pensé à ça.

Elle repartit d'un bon pas en réfléchissant. Peu après, ils arrivèrent à l'auberge de jeunesse. M. Brown verrouilla la porte qu'il avait été obligé d'ouvrir, et espéra qu'aucun autre de ses élèves n'en avait profité pour filer ! Rajani et Alexa les attendaient dans le couloir. Dès qu'elle aperçut Singrid, Rajani se précipita vers elle pour la prendre dans ses bras. M. Brown fronça les sourcils.

– Vous êtes obéissantes toutes les deux, ça fait plaisir à voir, grommela-t-il.

– Rajani allait réveiller tout le monde à force de sangloter, expliqua Alexa.

– Au lit et sans discuter !

– Vous n'allez pas la dénoncer au directeur, monsieur ? supplia Rajani. Ce n'est pas la peine puisqu'elle va bien !

– Ce n'est pas si simple que ça, répondit M. Brown.

Alexa tenta à son tour d'attendrir le professeur, mais elle fut interrompue par Singrid.

– Ce n'est pas grave, dit celle-ci. Il est temps que je rentre à la maison.

Singrid embrassa Rajani sur la joue puis ajouta :

– Mon papa a besoin de moi.

*Chapitre 9*

# Et l'amour dans tout ça ?

Singrid était partie depuis peu et elle laissait un vide dans le cœur des Kinra Girls. Rajani, surtout, était très triste. Elle s'était attachée à la petite Suédoise bien plus qu'elle ne l'aurait cru. Mais Singrid avait choisi de rentrer chez elle dès que la classe était revenue d'Écosse. Le matin de son départ, elle était souriante et il y avait quelque chose sur son visage que personne n'avait jamais vu auparavant : la sérénité.

Singrid était sûre que, bientôt, elles se retrouveraient. Et pourquoi pas en Suède ? Les Kinra Girls seraient les bienvenues dans sa maison. En attendant, Singrid avait promis de leur écrire.

Le dieu Shiva avait-il entendu la prière d'Alexa ? Avait-il recueilli la rivière du domaine dans son chignon ? La pluie avait cessé et le niveau des eaux avait notablement baissé. « Encore un effort, terrible Shiva », avait réclamé Alexa. Et d'ici à la fin de la semaine, M. Meyer lèverait peut-être l'interdiction de se promener dans la forêt !

Même le soleil revenu ne parvenait pas à consoler Rajani. Ses amies essayaient de la distraire, sans beaucoup de succès. Kumiko finit par employer les grands moyens pour sortir sa colocataire de sa mélancolie. Elle ne rangeait plus ses vêtements dans le placard, elle ne revissait pas le bouchon du tube de dentifrice, elle utilisait les ciseaux et ne les remettait jamais à leur place, elle empruntait l'ordinateur de Rajani sans sa permission et, pour couronner le tout, elle était d'une humeur de chien. Le résultat espéré ne se fit pas attendre longtemps. Rajani se mit en colère quand elle découvrit que Kumiko n'avait pas passé l'aspirateur alors que c'était son tour.

– Ça y est, tu vas mieux ? demanda Kumiko. Parce que je commençais à être à court d'idées.

Rajani la regarda avec étonnement.

– Quoi ? Tu l'as fait exprès ?

– Ben oui. La grande sœur donneuse de leçons me manquait !

– Et tu as pensé que me rendre folle, c'était malin ? protesta Rajani.

– En tout cas, ça a marché ! Je préfère

que tu cries plutôt que tu ne pleures !

Rajani haussa les épaules en la traitant d'idiote. Puis elle admit qu'elle se sentait beaucoup mieux et remercia Kumiko.

– Je suis désolée, s'excusa-t-elle.

Je sais que je n'ai pas été de la meilleure compagnie, ces derniers temps.

Et maintenant, tu vas chercher l'aspirateur, et plus vite que ça !

Kumiko éclata de rire et obtempéra.

Le ménage ne fut pas parfait, ce soir-là,

car Naïma frappa à leur porte pour les prévenir que c'était bientôt l'heure de la promenade de Jazz. Alexa et Idalina étaient d'ailleurs déjà descendues.

Quand les deux filles entrèrent dans son bureau, elles constatèrent que Miss Daisy avait repris ses bonnes habitudes : elle était débordée. Le téléphone dans une main, le stylo dans l'autre, l'assistante du directeur retenait la pile de dossiers qui menaçait de s'écrouler avec le genou.

– Oui, disait-elle à son interlocuteur, vous deviez livrer les nouvelles tables hier ! Comment ça, du verglas ? Eh bien, conseillez à votre chauffeur de mettre des pneus adaptés à son camion ! Vendredi ? Sans faute ? Je compte sur vous ! C'est ça… Au revoir, monsieur.

Elle raccrocha en soupirant.

– Des problèmes, toujours des problèmes ! Et je dois encore rappeler la compagnie aérienne pour le voyage en Autriche !

Idalina dressa l'oreille. En Autriche ? Tiens, tiens…

– Vous partez quelque part ? demanda-t-elle.

– Ah non, cette fois, je n'accompagne pas le groupe, répondit Miss Daisy.

– Le groupe ? répéta Alexa.

– Oui, les élèves de la classe 3 B. Heureusement, Rainer m'a trouvé un hôtel pour eux... Au moins une chose de réglée !

Alexa se mit à sourire en voyant la tête d'Idalina. Celle-ci avait imaginé un voyage romantique pour Miss Daisy et Rainer. En fait, il s'agissait d'un séjour scolaire ! L'Australienne ne retint plus son envie de rire en racontant la scène aux autres Kinra Girls.

– Arrête ! C'est pas drôle ! se fâcha Idalina.

– Oh si ! Allez ! C'est mieux comme ça, non ? Miss Daisy n'aura pas de chagrin d'amour, Rainer non plus !

– Ça aurait pu très bien se passer, aussi ! objecta Idalina.

– Sauf qu'il ne se passait rien du tout ! remarqua Rajani. Tu t'es trompée !

Idalina bouda jusqu'à la forêt. Jazz tenta sa chance en courant derrière un lapin.

Qu'il ne rattrapa pas, évidemment.

Alexa rappela le labrador avant qu'il ne s'éloigne trop. Soudain, le visage d'Idalina s'éclaira.

– D'accord, peut-être que j'ai inventé une histoire d'amour qui n'existait pas. Malgré tout…Vous oubliez M. Brown ! Il y a quelque chose entre Miss Daisy et lui… Ils ne le savent pas encore mais ils sont amoureux. Ce coup-ci, j'en suis sûre !

Ses amies la regardèrent, atterrées. Naïma leva les bras au ciel.

– Ah non ! s'écria-t-elle. Ça ne va pas recommencer !

Idalina ne répondit pas. Elle se demandait à quoi ressemblait un mariage à la mode écossaise… Mangeait-on du ***haggis*** au repas de noces ?

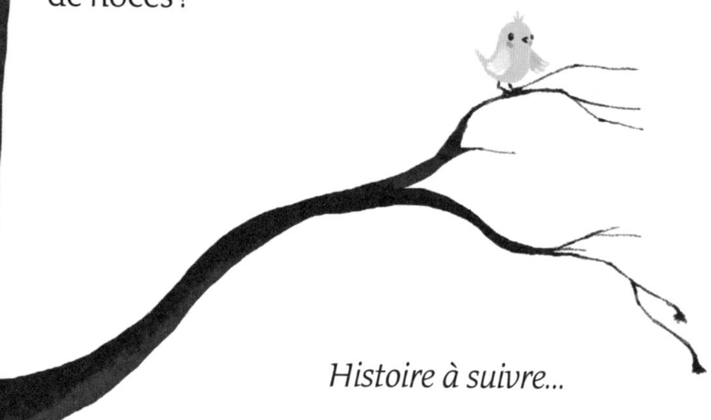

*Histoire à suivre…*

# VOCABULAIRE

**Atholl Brose** (en gaélique écossais) :
dessert fait de farine d'avoine, de miel,
de crème et de whisky.

***Auld Lang Syne*** (en scots) :
« Au temps des jours passés ».
Chant traditionnel écossais, qui célèbre
le Nouvel An. Il a été adapté en français
sous le nom de *Ce n'est qu'un au revoir*.

**Bora** (chez les Aborigènes) :
cérémonie sacrée. C'est ainsi
que les Kinra Girls nomment
leurs réunions secrètes.

**Close** (en anglais écossais) :
ruelle ou allée.

**Corazón** (en espagnol) : cœur.

**Fish and chips** (en anglais) :
poisson frit et frites.

**Floreat Majestas** (en latin) :
que la majesté s'épanouisse.

Au secours
Danger
Tout va bien
Bora = réunion secrète.
Borakawa = rendez-vous au moulin.
0% = attention, les pestes sont dans le coin.
faire un clin d'œil 2 fois de suite :
SUIVEZ-MOI !
Se tirer l'oreille :
ATTENTION ! Quelqu'un nous écoute !
Se gratter le haut du crâne comme un singe :
BORA
Tirer la langue en serrant le cou :
AU SECOURS ! J'ai été empoisonnée !
Se frotter le ventre avec une main,
l'autre main sur la hanche :
J'AI VU QUELQUE CHOSE D'INTÉRESSANT
(comme le chat fantôme...)
Se mettre un doigt dans le nez :
PESTES EN VUE !
S'enfuir en courant :
UN CROCODILE ME COURT APRÈS !

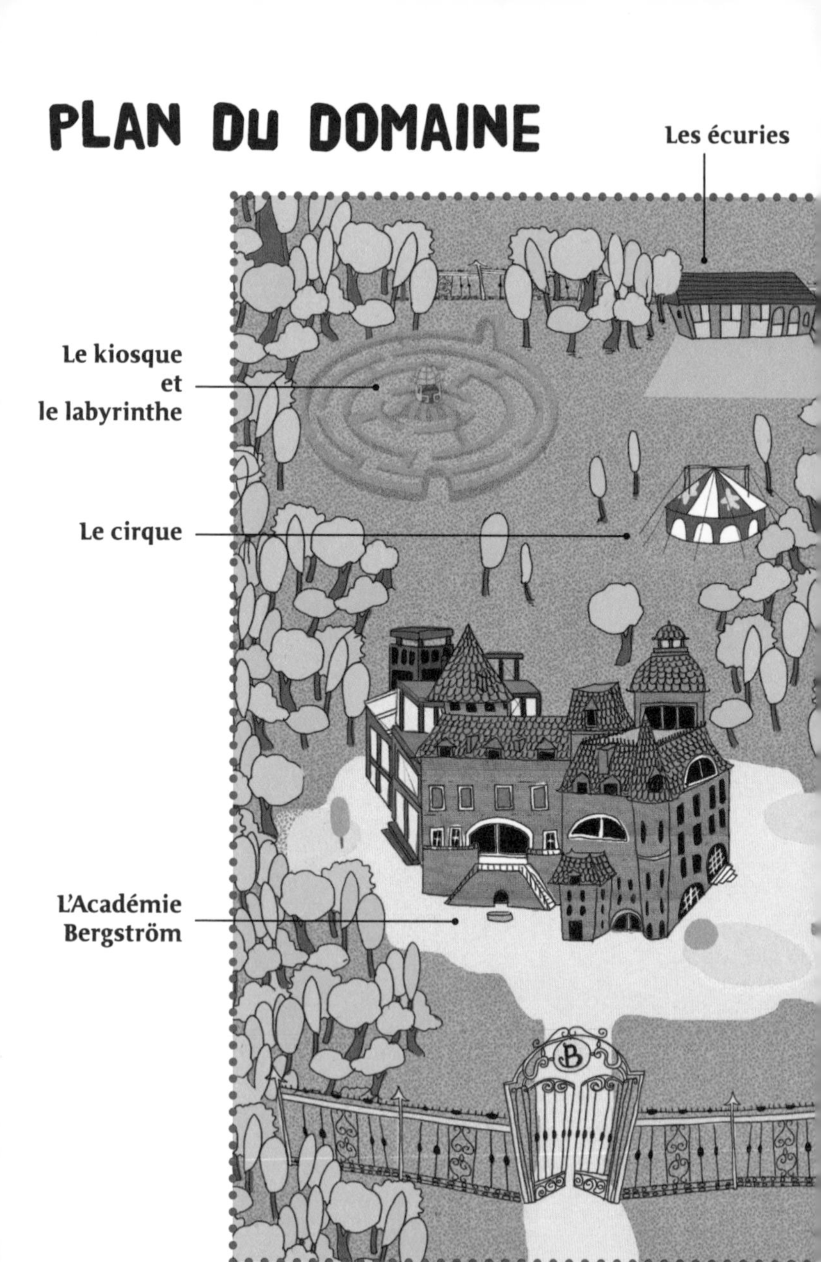
PLAN DU DOMAINE
Les écuries
Le kiosque
et
le labyrinthe
Le cirque
L'Académie
Bergström
B

Le moulin abandonné

# L'ACADÉMIE BERGSTRÖM

Les Kinra Girls sont **5 filles** venues des **4 coins du monde.**

**Kumiko**, la Japonaise, **Idalina**, l'Espagnole, **Naïma**, l'Afro-Américaine, **Rajani**, l'Indienne, et **Alexa,** l'Australienne, se rencontrent à l'Académie Bergström, un collège international qui accueille des élèves talentueux du monde entier.

Ces 5 filles aux cultures si différentes vont vivre ensemble des moments exceptionnels.

Au fil de leurs multiples aventures, elles vont s'ouvrir au monde, découvrir les **cultures** des autres pays, apprendre à respecter leurs **différences** et devenir inséparables.

# DÉCOUVRE LES CINQ HÉROÏNES AVANT LEUR RENCONTRE

Découvre l'histoire de chacune de nos amies avant leur rencontre dans l'Académie internationale Bergström.

## PUIS SUIS LES AVENTURES DES KINRA GIRLS !

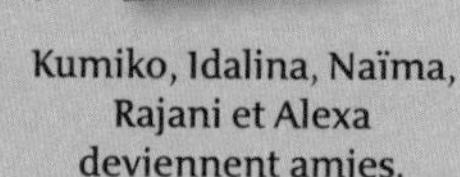
Kumiko, Idalina, Naïma, Rajani et Alexa deviennent amies.

Une étrange histoire de chat fantôme court à l'Académie Bergström...

Les Kinra Girls trouvent un passage secret.

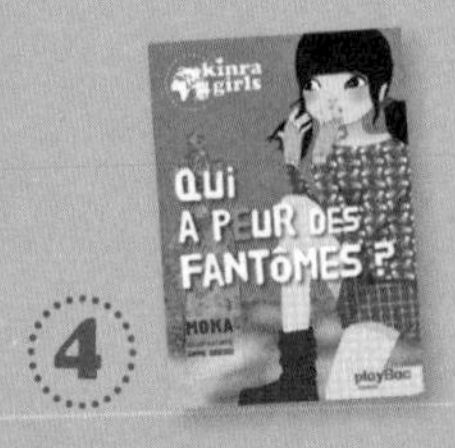


Les Kinra Girls découvrent un cimetière abandonné.

Nos cinq amies partent pour le Japon. Les catastrophes s'enchaînent...

Où se trouve la clé d'or qui ouvre toutes les portes ?

Idalina serait-elle amoureuse ?

Les Kinra Girls courent un terrible danger dans le village abandonné.

Les Kinra Girls vont-elles enfin découvrir le trésor ?

Les Kinra Girls partent pour les vacances de Noël et décident de s'écrire...

Une compagnie d'opéra chinois débarque au château.

Les Kinra Girls s'envolent pour Édimbourg, la ville la plus hantée du monde...

**TOME 13 À PARAÎTRE** *Le palais de la lune* (septembre 2014)

## À PARAÎTRE EN SEPTEMBRE 2014 :

## un journal intime et un cahier pour créer les tenues des Kinra Girls !

## Lili Chantilly
### a 11 ans et rêve de devenir styliste...

Elle a une tonne d'idées, de l'or dans les doigts et vient d'entrer en sixième à l'École Dalí.

Elle a un père grand reporter, qu'elle adore mais qu'elle ne voit pas souvent. Une nounou aimante, qui cuisine des plats marocains sensationnels. Un ami pas ordinaire sur lequel elle peut toujours compter. Et un grand vide dans le cœur, parce qu'elle n'a jamais connu sa maman.

## Découvre notre Lili aussi drôle que têtue et suis-la au fil de ses aventures…

Tome 1

Depuis toute petite, Lili adore dessiner, créer et veut devenir styliste. Mais sa mère n'est pas là pour la soutenir et son père s'y oppose.

Après avoir réussi son concours de mode, Lili entre en sixième au collège Dalí, une école d'art. Mais la rentrée n'est pas de tout repos…

Tome 3

Un défi est lancé à la classe de Lili : organiser un défilé de mode !

C'est les vacances de la Toussaint ! Lili passe beaucoup de temps aux écuries avec son ami Pony, mais les pestes ne la laissent jamais tranquille…

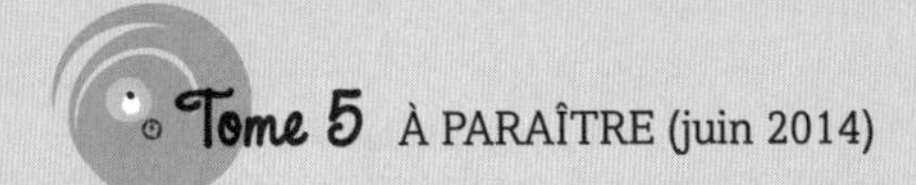

ISBN : 9782809650976
Dépôt légal : juin 2014.
Imprimé en Chine.

Loi n° 49-956 du 16 juillet 1949 sur les publications destinées à la jeunesse.



---

Mise en page : Isabelle Southgate.
Mise au point de la maquette : Cédric Gatillon.
IGS-CP pour la photogravure.

Nous tenons à remercier pour leur contribution à cet ouvrage :
M. Bellamy-Brown ; C. Bleuze ; M. Boulin ; J.-L. Broust ; G. Burrus ; S. Champion ;
N. Chapalain ; S. Chaussade ; A.-S. Congar ; M. Dezalys ; E. Duval ; M.-S. Ferquel ;
D. Hervé ; M. Joron ; A. Le Bigot ; B. Legendre ; L. Maj ; K. Marigliano ; É. Merveillard ;
C. Onnen ; L. Pasquini ; C. Petot ; C. Schram ; M. Seger ; V. Sem ; S. Tuovic ;
K. Van Wormhoudt ; M.-F. Wolfsperger.